Lala

A different kind of lizard
Una lagartija diferente

Written by / Escrito por:
Susana Illera Martínez

Illustrations / Ilustraciones:
Natalia Jiménez Osorio

snow
fountain
press

Lala, a different kind of lizard
Lala, una lagartija diferente

Written by / Escrito por Susana Illera Martínez
Illustrations / Ilustraciones: Natalia Jiménez Osorio
Design & layout / Diseño y diagramación: Susana Illera Martínez
English translation / Traducción al inglés:
Paula Valencia, Sumey Hageman & Glossa Translations
Author photo / Foto de la autora: Paula Valencia

ISBN-13: 978-1-951484-00-2

Published in the United States by /
Publicado en los Estados Unidos por
Snow Fountain Press
25 SE 2nd. Avenue, Suite 316
Miami, FL 33131
www.snowfountainpress.com

www.susanaillera.com
www.lalathelizard.com

 @lalathelizard

Dedicated to / Dedicado a

Mathias, Avery & Aiden

Because you deserve to live in a happy world,
where differences are respected.

Porque merecen vivir en un mundo feliz,
donde se respeten las diferencias.

In a beautiful garden next to the
strawberry orchard, lives a lizard named Lala.

Lala looks like any other lizard but something makes her different.
Her father works at the central tree, collecting fresh leaves for the ant colony.
Her mother is a teacher at the school where Lala and her two sisters go.

En un hermoso jardín, junto al huerto de fresas, vive una lagartija llamada Lala.

Lala aparenta ser una lagartija como todas, pero algo la hace diferente.
Su papá trabaja en el árbol central, recolectando hojas frescas para
la colonia de hormigas. Su mamá es maestra de la escuela donde Lala
y sus dos hermanas estudian.

In the afternoons, Lala goes with her sisters
to a cool place known as the Pond by The Rock,
the meeting point for all the young lizards in the garden.

There, she takes the opportunity to visit Ari, a lovely little spider
who became her friend since she was a hatchling.

En las tardes de paseo, Lala visita con sus hermanas un
refrescante lugar conocido como el Charco de la Piedra,
el punto de reunión de todas las lagartijas jóvenes del jardín.

Allí aprovecha para visitar a Ari, una simpática araña
de la cual se hizo amiga desde pequeña.

Lala's sisters judge her for this friendship.

"Are you crazy? How can you be friends with a spider?" they criticize her and threaten to tell their parents about the strange friendship.
"Spiders are food!" they insist.

Lala replies that she would never bite or hurt an insect, especially her best friend, Ari.

"I prefer to eat other things," she adds without making a fuss so that her sisters would not expose her at home.

8

Sus hermanas la juzgan por esta amistad.

—¡Estás loca! ¿Cómo puedes ser amiga de una araña? —la critican
todo el tiempo, amenazándola con contar a sus padres sobre esta extraña
amistad— ¡Las arañas son comida! —insisten.

Lala les responde que ella nunca le mordería una pata a un insecto,
y mucho menos a su mejor amiga Ari.

—Yo prefiero comer otras cosas —aclara Lala sin armar mucho alboroto,
para que sus hermanas no cumplan con sus amenazas de delatarla.

Every night for dinner, Momma Lizard serves a tray full of spiders, crickets, and mosquitoes for everyone to share.

Lala can't even bring them close to her mouth, Eeeew! Impossible!

While her hungry parents and sisters are busy chewing on insects, her strategy is to quietly munch on the leaves, seeds, and stems that decorate the feast.

Todas las noches durante la cena, Mamá Lagartija sirve una bandeja repleta de arañas, grillos y mosquitos para deleite de la familia.

Lala no es capaz de acercar a su boca ninguna de aquellas criaturas, ¡guácala! ¡Imposible!

Mientras sus padres y hermanas atacan hambrientos a los insectos, su estrategia es deleitarse calladamente con las hojas, semillas y ramas que decoran el festín.

Lala's friend, Ari, is also different.

Although she lives in a spider web woven into a tree,
like the other spiders, her habits are also different.
Her neighbors ask her all the time:

"Why do you have a spider web
if you are not going to eat
the insects you catch?"

Ari explains that she does not like to eat insects and that her web
keeps her safe from predators.

She confesses that when she catches insects, she makes them
promise that they will not disturb her, and then releases them.

Ari, la amiga de Lala, también es diferente.

Aunque vive en una telaraña tejida en un árbol, como las otras arañas, sus costumbres son especiales. Sus vecinos le preguntan todo el tiempo:

—¿Para qué tienes telaraña si no vas
a comerte a los insectos que atrapas?

Ari les explica que a ella no le gusta comer insectos,
y que su red la mantiene a salvo de predadores.

Les revela que cuando atrapa algún insecto le hace prometer
que no la va a molestar y luego lo deja libre.

Lala does not like keeping secrets from her parents, but she feels insecure; she's afraid that they might not accept her for being different. Lala can't help but feel a little envious of Ari, who is free to tell her neighbors that she doesn't eat insects.

And so, the moment came when she had to face her fears.

One night during dinner, one of the insects that Momma Lizard cooked for the family platter looked weird. It was not the usual bright green, but instead, it looked bloated and bruised.

As always, everyone at home was hungry, so they ate the food without a care, except for Lala, who discreetly filled her tummy with small leaves.

A Lala no le gusta tener secretos con sus padres, pero se siente insegura; teme que no la quieran aceptar por ser diferente. Por eso no puede evitar sentir un poco de envidia hacia Ari, que es libre de decir a sus vecinas que no come insectos.

Y así, llegó el momento en que tuvo que enfrentar sus temores.

Una noche, durante la cena, uno de los insectos que Mamá Lagartija cocinó para la bandeja familiar se veía raro, no estaba verde ni brillante, sino que lucía hinchado y amoratado.

Como siempre, todos en casa tenían hambre y se lo comieron sin chistar, con la excepción de Lala, quien con discreción se llenó su panza comiendo pequeñas hojas.

Nobody slept at home that night. Lala's parents and sisters had a terrible stomachache. The bug they ate was spoiled!

"Maybe it was poisoned?" asked dad, annoyed.

"Are we going to die?" the sisters asked, crying and worried.

"Everyone stays calm!" Momma Lizard said, reaching in the cabinet for a special medicine she had for these cases. "Just a few drops of this syrup, and we'll all be fine."

Más tarde, nadie podía dormir. Los padres y las hermanas de Lala sintieron mucho dolor de estómago ¡el insecto estaba malo!

—¿Estaría envenenado? —cuestionaba molesto papá.

—¿Vamos a morir? —preguntaban las hermanas, llorando y angustiadas.

—¡Cálmense todos! —dijo mamá, sacando de la gaveta una medicina especial que tenía para estos casos—. Unas gotas de este jarabe y estaremos todos bien.

When she was giving the medicine to her family, Momma Lizard noticed something very suspicious: Lala had not complained even once, she did not look pale like the others, nor did she ask annoying questions like her sisters.

"Sweetheart, are you feeling alright?" she asked.

Lala tried to reply, but the sisters answered ahead of her.

"Of course, she's alright!
Our sister never eats insects;
she only eats leaves and seeds!
She is crazy!
Besides, she is friends with a spider!"
they said, looking straight at
Momma Lizard,
who looked stunned.

Cuando Mamá Lagartija comenzó a repartir el jarabe notó algo muy sospechoso: Lala no se había quejado ni una sola vez, no se veía pálida como los demás ni hacía preguntas inquietas como sus hermanas.

—¿Hija? ¿Te sientes bien? —le preguntó.

Lala quiso responder, pero sus hermanas se adelantaron.

—¡Claro que se siente bien! Nuestra hermana nunca come insectos, solo hojas y semillas, ¡está loca! Además, ¡es amiga de una araña! —dijeron mirando directamente a Mamá Lagartija, quien se veía sorprendida.

Lala was upset by the commotion and ran to her room crying without waiting for her parents' reaction.

Then, she decided to run away from home to a place where she could be accepted without being criticized, and, without further thought, Lala escaped through the window.

Lala se puso muy nerviosa con el alboroto y se fue llorando a su cuarto sin esperar la reacción de sus padres.

Entonces, tomó la decisión de escapar de casa a un lugar donde la aceptaran sin criticarla. Sin pensar más salió por la ventana.

As dawn neared,
Lala arrived at her best friend's.

A *knock-knock* sound echoed
through the tree.
Knock-knock! It rumbled louder.

Ari came out with a sleepy face;
it was very early! And Lala usually
visited her in the afternoon.

She asked her lizard friend
what she was doing away from home
at that time.

"I am different and cannot stay home,"
Lala said with teary eyes.
"You are the only one who understands me;
we should go to a place where we are accepted
just the way we are."

Rayando el amanecer,
Lala llegó donde su mejor amiga.

¡Toc, toc! Se escucharon
unos golpes en el tronco del árbol.
¡Toc, toc! Retumbaron más fuerte.

Ari se asomó con cara de sueño,
¡era muy temprano!,
y Lala acostumbraba a visitarla
por las tardes.

Preguntó a su amiga lagartija
qué hacía fuera de casa
a esa hora.

—Soy diferente y no puedo quedarme
en casa —dijo Lala con ojos llorosos—.
Tú eres la única que me entiende,
debemos irnos a un lugar donde nos
acepten tal y como somos.

Ari decided to support her friend, and they started walking towards the garden's exit. They had never been so far from the tree and the Pond by The Rock. The landscape looked so different.

"Where are the grass and the flowers? I only see weird rocks," commented Ari. "What are we going to eat around here?"

Ari decidió apoyar a su amiga y emprendieron camino hacia la salida del jardín. Nunca se habían alejado tanto del árbol y del Charco de la Piedra. El paisaje les pareció muy diferente.

—¿Dónde están la hierba y las flores? yo solo veo piedras raras —comentó Ari—. ¿Qué comeremos en este lugar?

"I don't know," replied Lala. "But, I am now more worried about that thing on the wall."

It was a majestic bright orange lizard with jet black spots and the longest tail they had ever seen.

Her eyes were fixed on the horizon when she suddenly felt the strangers' presence and turned her head to look straight at them.

"Mmmm, what do we have here?" said the great lizard.

Lala and Ari were petrified, thinking that, most likely, the enormous reptile was not vegetarian like them and their destiny was to become her dinner.

—No lo sé —respondió Lala—.
Pero ahora me preocupa más lo que está sobre ese muro.

Era una majestuosa lagartija de color naranja intenso, manchas negras
como el azabache y con la cola más larga que habían visto jamás.

Sus ojos estaban fijos en el horizonte, cuando de pronto sintió la presencia
de las forasteras y volteó su cabeza para mirarlas directamente

—Mmmm. ¿Qué tenemos por aquí? —dijo la gran lagartija.

Lala y Ari se quedaron petrificadas pensando que ese reptil tan grande,
probablemente, no era vegetariano como ellas y su destino
sería convertirse en su cena.

The orange lizard rapidly slid down the wall, and in an instant
it was standing in front of them, inspecting them from head to toe

"What brings a lizard and a spider from the garden
to this neighborhood?" she asked
as her tongue wandered from side to side
and her pupils enlarged while
scanning the two visitors

28

La lagartija naranja se deslizó veloz por la pared
y en un instante ya estaba parada frente a ellas
inspeccionándolas de pies a cabeza.

—¿Qué trae por estos rumbos a una lagartija
y a una araña del jardín? —interrogó, mientras su lengua
se paseaba de un lado a otro y sus pupilas se agrandaban
y se achicaban observando a las dos visitantes.

"We are moving, Mrs. Lizard, ma'am; we have decided not to live
in the garden anymore." Lala offered as an answer,
while each of Ari's eight legs was shaking nervously.

"What? You're speaking nonsense, girl!" the lizard laughed so hard
that her tail curled, and she had to hold her belly.

"That garden is a paradise for small creatures like you!
Water, flowers, fresh grass, and insects to fill your bellies,"
concluded pointing to her own belly that growled at the thought of food.

—Nos estamos mudando, Señora, doña Lagartija,
hemos decidido no vivir más en el jardín —arriesgó Lala como respuesta,
mientras a Ari le temblaban cada una de sus ocho patas.

—Pero ¡qué locuras dices, niña! —respondió con una carcajada que la
hizo enroscar la cola y sujetarse la barriga—. ¡Ese jardín es el paraíso
para criaturas como ustedes!

Agua, flores, hierba fresca e insectos para llenar sus barrigas hasta
reventar —concluyó señalando su propia panza que soltó un gruñido al
pensar en comida.

"We do not eat insects. We are vegetarian!" Ari said nervously.

"Oh! I see. And what is the matter?
The leaves around the pond are not enough for gourmet folks like you?"
the orange lizard added mockingly.

Lala proceeded to explain that because they are different, their families
and friends would never accept them.

She narrated everything that happened the night before at home
and told her she felt nervous about being rejected and that one day,
her best friend would end up being part of the menu.

—Nosotras no comemos insectos.
¡Somos vegetarianas! —afirmó Ari, nerviosa.

—Oh, ya veo. Y, ¿qué hay con eso?, ¿las ramas del charco no son
suficientes para su paladar? —agregó la gran lagartija con tono de burla.

Lala entonces explicó que por ser diferentes su familia
y amigos no podrían aceptarlas.

Le relató lo sucedido la noche anterior en su casa,
el miedo que sentía de que su familia la rechazara y de que un día
su mejor amiga terminara siendo parte del menú de la cena.

"I understand your fear, ladies, I have felt it too.
For a long time, I lived away from others because I considered myself different; my colors are alarming, and because of my size,
I can never go unnoticed. I look terrifying, even though it is not my intention," said the orange lizard.

"I have learned, however, that my appearance does not dictate who I am; on the contrary, I am proud to be different, and I am happy," she affirmed.

"If we were all the same and liked the same things,
this world would be very boring."

—Entiendo su temor, señoritas, yo también lo he sentido.

Durante mucho tiempo viví alejada de otros por considerarme diferente; mi color es alarmante y por mi gran tamaño nunca consigo pasar desapercibida. Infundo terror, aunque no sea mi intención —relató la lagartija naranja.

—Sin embargo, he aprendido que mi apariencia no dicta quien soy; por el contrario, estoy orgullosa de ser diferente y soy feliz —aseguró—.

Si fuéramos todos iguales y nos gustaran las mismas cosas, este mundo sería muy aburrido.

Lala and Ari listened to her in wonder, and, as time flies when one is entertained, it suddenly got late, and the great lizard told them it was time to go home.

"So, you do not live here, away from others?" Lala asked, confused.

"Of course not! I have a family and friends who support me and accept me, even if I'm not like them or don't always do things as they do," she concluded joyfully, and then she advised them, "go back home, it's about to get dark."

Lala and Ari admired the lizard's imposing silhouette as she went away and disappeared between the cracks of the wall.

Lala y Ari la escuchaban maravilladas, y como el tiempo vuela cuando uno está entretenido, de repente se hizo tarde y la gran lagartija les dijo que era hora de marcharse a casa.

—Entonces, ¿no vives aquí, alejada de todos? —preguntó Lala confundida.

—¡Claro que no! Tengo familia y amigos que me apoyan y me aceptan, aunque no siempre sea o haga las cosas como ellos. —concluyó con alegría y luego les aconsejó—: vayan a casa, se acerca la noche.

Lala y Ari observaron la imponente silueta de aquella lagartija alejarse hasta desaparecer entre las grietas de la pared.

On the way home, Lala was very nervous because she knew that running away from home had not been the best decision, and she also needed to talk to her family about their differences.

When Momma Lizard saw them from the door, she ran towards them, excited and relieved, to give Lala a big hug, joined by her father and sisters, who were all very worried.

"Mom, I'm sorry," Lala began to say regretfully.

"We are your family; we will always support you, and all we want is your happiness." Her mother replied fondly.

Camino a casa, Lala estaba muy nerviosa porque sabía que huir
de su hogar no había sido la decisión correcta y, además, debía
conversar con su familia acerca de sus diferencias.

Mamá Lagartija, al verlas desde la puerta, corrió hacia ellas, con
emoción y alivio, para darle a Lala un gran abrazo, al que se unieron
su padre y sus hermanas, todos estaban muy preocupados.

—Mamá, lo siento —comenzó a decir Lala, arrepentida.
A lo que su madre con cariño respondió:

—Somos tu familia, siempre te apoyaremos
y lo único que queremos es tu felicidad.

That night they celebrated with a very special dinner.

There was music, colorful lights, and two platters with tasty treats on the table, one with fresh insects, and the other with flowers, sunflower seeds, rosemary, and spearmint leaves.

Lala was very happy! It showed in a big loving smile towards her parents, her sisters, and Ari, who, from that night on, was not only her best friend but also became part of the family.

The End

Esa noche celebraron con una cena muy especial.

Hubo música, luces de colores y en la mesa dos bandejas con apetitosos manjares: una, con sabrosos insectos, ¡todos frescos!; y otra con flores, semillas de girasol, hojas de hierbabuena y romero.

¡Lala estaba muy feliz! Lo demostraba con su gran sonrisa de amor hacia sus padres, sus hermanas y Ari, quien desde esa noche no solo fue su mejor amiga, sino que pasó a ser parte de la familia.

Fin

Thank you

A very special *gracias* to everyone that helped this dream become a reality.

A huge *gracias*, to Avery; your love for lizards inspired me.

And an eternal *gracias* to my *papá*, for loving us just the way we are.
You will always be in my heart.

Gracias

Un gracias especial a todos quienes pusieron
su granito de arena para que este sueño sea posible.

Un gracias gigante a Avery, tu amor por las lagartijas me inspiró.

Y un gracias eterno a papá, por amarnos tal como somos.
Siempre estarás en mi corazón.

Susana Illera Martínez

A writer, designer, and aspiring poet from the beautiful Cali, Colombia, Susana lives in Miami, Florida where she enjoys writing poetry, taking pictures of the sunset, her orchids, and her two cats.

Her first children's book: *Lala, a Different Kind of Lizard,* won second place at the International Latino Book Awards in the category of Most Inspirational Children's Picture books.

The second book in the series, *Lala and the Pond by The Rock,* is scheduled to release by Fall 2020.

Escritora, diseñadora y aprendiz de poeta, Susana nació en la hermosa Cali, Colombia y actualmente vive en Miami, Florida, donde le gusta escribir poesía, tomar fotos de atardeceres, sus orquídeas y sus dos gatos.

Su primer libro infantil: *Lala, una lagartija diferente,* ganó el segundo lugar en los International Latino Book Awards en la categoría de libros ilustrados para niños más inspiradores.

El segundo libro de la serie, *Lala y el Charco de la Piedra* está programado publicarse en otoño de 2020.

Follow Lala's adventures on social media @LalaTheLizard
Download coloring pages & activities at
www.lalathelizard.com

~

Sigue las aventuras de Lala en las redes sociales @LalaTheLizard
Descarga páginas para colorear y actividades en
www.lalathelizard.com

CPSIA information can be obtained
at www.ICGtesting.com
Printed in the USA
LVHW011144241021
701331LV00006B/37